ROEDDWN I YNO

PYRAMIDIAU YR HEN AIFFT

ROEDDWN I YNO

PYRAMIDIAU
YR HEN AIFFT

JOHN D. CLARE

Golygydd Ymgynghorol ROSALIE DAVID

Trosiad Cymraeg IEUAN GRIFFITH

DREF WEN

Cynnwys

Yr Hen Aifft

Tua 4,500 o flynyddoedd yn ôl, pan oedd pobl gogledd Ewrop yn dal i fyw yng nghytiau'r Oes Garreg ac yn bwyta aeron, roedd gwareiddiad llewyrchus yn ffynnu yn yr Aifft. Dechreuodd llywodraethwyr y wlad ar y pryd godi beddrodau anferth, a elwir yn byramidiau,

iddynt eu hunain. Codwyd y pyramidiau yn Giza 1,200 o flynyddoedd cyn teyrnasiad Tutankhamun a 2,500 cyn oes y Frenhines Cleopatra. Roeddynt mor hynafol i Cleopatra ag y mae'r hen Roegiaid i ni.

Datblygodd gwareiddiad yr Aifft ar hyd dyffryn Afon Nîl. Yr enw ar ran ddeheuol y wlad, rhwng Aswan a Giza, oedd *Ta-shema* (yr Aifft Uchaf). Yma dim ond 12 milltir (20 kilometr) yw lled y dyffryn yn ei fan lletaf, ac mae'r tywydd yn sych ac yn boeth. Ar ddwy ochr y dyffryn mae anialwch a alwai'r Eifftiaid yn *Deshret* (y Tir Coch).

Bum can milltir (800 kilometr) i'r gogledd o Aswan, mae'r afon yn ymrannu cyn llifo i'r Môr Canoldir. *Ta-meh* (yr Aifft Isaf) oedd yr enw ar y delta hwn a oedd yn ardal isel, wastad, o laswelltir, corsydd ac awelon hyfryd.

Ychydig iawn o law oedd yn syrthio yn yr Hen Aifft. Ond pan fyddai hi'n glawio byddai'r glaw yn arllwys yn gawodydd trymion, dinistriol, ac felly byddai'r hen Eifftwyr yn ystyried glaw yn ffordd wael i ddyfrhau'r tir. O Afon Nîl y dôi'r cyfan o'r dŵr yfed a'r dŵr ar gyfer ffermio. Ar ben hynny, byddai'r afon yn torri dros ei glannau bob blwyddyn ac yn gorchuddio'r tir â haen o fwd du, ffrwythlon. *Kemet* (y Tir Du) oedd enw'r hen Eifftiaid ar eu gwlad.

Tua 3100 CC gwnaeth y Brenin Menes o'r Aifft Uchaf y ddwy ran o'r Aifft yn un wlad. Sefydlodd Menes ei brifddinas ar y ffin rhwng y ddwy wlad a chododd Balas y Mur Gwyn yno. Flynyddoedd yn ddiweddarach byddai'r Eifftiaid yn cyfeirio at eu brenin fel y *Per-aa* (y tŷ mawr), ac o'r enw hwnnw y daeth y gair 'pharo'. Ymhen amser tyfodd tref o'r enw Memphis o amgylch y palas.

Roedd yr hen Aifft wedi ei rhannu i tua 38 o ardaloedd a elwid yn 'nomau'. Roedd ganddynt enwau fel 'Nôm y Sarff', 'Nôm Plu'r Estrys' a 'Nôm yr Hebog Mwmeiddiedig'.

Crefydd a chredoau

Roedd gan yr Eifftiaid naw o brif dduwiau. Osiris, duw'r meirw, oedd y mwyaf poblogaidd. Credai'r bobl iddo gael ei ladd gan ei frawd, y duw drwg Seth, ond cafodd ei atgyfodi gan Isis, a oedd yn chwaer ac yn wraig iddo. Nephthys,

amddiffynnydd y meirw, oedd chwaer a gwraig Seth. Roedd duwiau eraill yn rheoli'r byd naturiol: Nut, duwies yr wybren, a oedd yn ymestyn uwchlaw'r ddaear; Shu, duw'r awyr; Geb, duw'r ddaear; Tefnut, duwies lleithder; a Re, duw'r haul. Credai'r Eifftiaid fod Re yn rhwyfo'r haul ar draws yr awyr bob dydd mewn cwch.

Byddai amryw o pharoaid yr Aifft yn dilyn esiampl Seth ac Osiris ac yn priodi eu chwiorydd.

Roedd llawer o dduwiau eraill gan yr Eifftiaid, gan gynnwys Khnum, a oedd wedi creu dyn; Thoth, a ddyfeisiodd ysgrifennu; Ptah, duw'r crefftwyr; Anubis, y duw a ofalai am gladdu'r meirw; a Sebek, duw'r crocodeilod.

Horus, yr hebog, oedd yn amddiffyn yr Aifft. Credai'r Eifftiaid mai'r duw Horus ar ffurf dyn oedd eu pharo.

Dysgai offeiriaid yr Aifft y bobl i gredu bod Teyrnas Danddaearol Osiris, byd ysbrydion y meirw, y tu draw i orwel y gorllewin. Gobaith pob Eifftiwr cyffredin oedd cael mynd i'r wlad hon ar ôl marw. Uwchlaw'r awyr, fodd bynnag, yr oedd y nefoedd, gwlad y duwiau, lle roedd Re yn teyrnasu. Y gred oedd mai dim ond y pharo oedd yn ddigon pur a nerthol i fynd i'r nefoedd. Pan fyddai un o'r pharoaid yn marw dywedid ei fod wedi mynd i fyny at y gorwel.

Eu cred mewn bywyd ar ôl marwolaeth oedd yn peri i'r Eifftiaid fwmeiddio'r meirw a chodi pyramidiau.

Pharo Chephren

Yr enw ar y cyfnod yn hanes yr Aifft o 2686 hyd 2181 CC yw'r Hen Deyrnas.

Yn 2558 CC etifeddodd pharo newydd, o'r enw Chephren, orseddfainc yr Aifft oddi wrth ei ragflaenydd, Cheops.

Chephren oedd pedwerydd pharo'r bedwaredd linach frenhinol (teulu o pharoaid). Roedd yn ŵyr i Seneferu, a oedd wedi sefydlu'r bedwaredd linach. Roedd Chephren yn briod â'i chwaer, Khame-re-nebti, ac mae'n bosib bod ganddo dair gwraig arall yn ogystal.

Pan gafodd Chephren ei goroni, cerddodd o amgylch Palas y Mur Gwyn, tua'r de a thua'r gogledd, er mwyn dangos ei arglwyddiaeth dros yr Aifft Uchaf a'r Isaf. Gwisgai ddwy goron, coron goch yr Aifft Isaf a choron wen yr Aifft Uchaf.

Mae'n debyg bod Chephren yn fwy nerthol na'r un pharo arall yn hanes yr Aifft. Ef oedd pen y llywodraeth a'r prif offeiriad. Nid oedd gan neb hawl i amau ei orchmynion, a byddai ei air yn dod yn ddeddf yn syth. Ei stad breifat ef oedd yr Aifft o'r naill ben i'r llall. Ef oedd y pharo cyntaf i roi'r enwau 'y duw mawr' a 'mab Re' arno'i hun.

Bob dwy flynedd byddai Chephren yn mynd ar daith drwy'r Aifft. Gosgordd Horus oedd enw'r daith hon. Byddai'n hwylio ar hyd afon Nîl yn y cwch brenhinol mawr ac yn ymweld â phob nôm ac yn archwilio cyfrifon y swyddogion lleol. Wrth iddo deithio byddai'r pendefigion yn codi eu dwylo i'w addoli ac yn llefain, 'Moliant i ti, O dduw. Gall y bobl weld pa mor hardd wyt ti.'

Mae maint ac ysblander pyramid Chephren yn adlewyrchu maint ei nerth a'i gyfoeth.

Y Pyramid Mawr

Codwyd pyramid cyntaf yr Aifft gan Pharo Zoser tua 2650 CC. Yn ystod y deg canrif ganlynol cododd llywodraethwyr yr Aifft tua 90 o byramidiau. Y rhai a godwyd gan Cheops, Chephren a Mycerinus (olynydd Chephren) oedd y rhai mwyaf.

Pyramid Mawr Cheops yw'r adeilad carreg mwyaf yn y byd. Gallai eglwysi cadeiriol Firenze, Milano, St. Pedr yn Rhufain ac eglwys gadeiriol St. Paul ac Abaty Westminster yn Llundain i gyd sefyll gyda'i gilydd y tu mewn i ffiniau ei seiliau. Roedd yn adeilad mor gryf fel y gallai'r archaeolegwyr cyntaf archwilio'r tu mewn iddo drwy ddefnyddio powdr gwn i chwythu twnelau ynddo heb beri iddo gwympo. Hyd yn oed yn oes y pharoaid byddai Eifftwyr cyfoethog yn teithio yno i'w weld.

Roedd pob pyramid yn rhan o glwstwr o adeiladau, gan gynnwys dwy deml ac weithiau byramidiau llai, ar gyfer y breninesau o bosib. Ger y Pyramid Mawr roedd 'mastabas' (beddrodau traddodiadol wedi eu codi o friciau) ar gyfer pendefigion pwysig.

Cofadail crefyddol oedd pyramid. Roedd ei ochrau goleddfol yn cynrychioli pelydrau duw'r haul, Re, i'r Eifftwyr. Credent mai dyma'r ffordd y byddai'r pharo marw yn dringo i'r nefoedd.

Roedd codi pyramid yn mynd â llawer o

gyfoeth yr Aifft a llafur miloedd o bobl dros gyfnod o 20 neu 30 mlynedd. Mae'n rhyfedd meddwl bod yr hen Eifftiaid yn gwneud y fath ymdrech dim ond er mwyn anfon un dyn i'r nefoedd.

Mae pyramid Pharo Chephren yn dal i gael ei adeiladu, ond mae'r Pyramid Mawr, a elwir yn 'Orwel Cheops' gan yr Eifftwyr, wedi ei gwblhau, ac mae corff Pharo Cheops wedi ei gladdu ynddo. Mae'r pyramid yn 481 troedfedd (146 metr) o uchder. Maint pob ochr yw 756 troedfedd (230 metr). Mae 2.3 miliwn o flociau carreg ynddo — digon i godi wal isel yr holl ffordd o amgylch y byd. Mae mynedfa'r siambr gladdu yn uchel uwchlaw lefel y ddaear ar ochr ogleddol y pyramid. Mae wedi ei guddio'n llwyr â meini allanol er mwyn cadw ei leoliad yn gyfrinach.

Mae'r Pyramid Mawr wedi cael ei godi'n fanwl-gywir. Dim ond 8 modfedd (20 centimetr) yw'r gwahaniaeth rhwng yr ochr hwyaf a'r un fyrraf. Mae'r corneli yn onglau sgwâr perffaith bron iawn (gwall o 0.09 y cant) ac mae'r gwaelod bron yn berffaith wastad (gwall o 0.004 y cant). Mae'r meini allanol sydd ar ochrau'r pyramid wedi eu gosod yn eu lle mor gelfydd fel na ellir gwthio hyd yn oed flewyn rhyngddynt.

Tymor y Llifogydd

Ar flwyddyn dda gorlifai Afon Nîl i ddyfnder o 27 troedfedd (8 metr) ger Palas y Mur Gwyn. Yn oes Pharo Zoser cafwyd newyn yn dilyn saith mlynedd o lifogydd isel. Os ceid llif rhy uchel, methai'r cnydau am fod y dŵr yn cymryd gormod o amser i ostwng. Defnyddiai offeiriaid nilomedr i fesur dyfnder y llif. Yna gallai swyddogion rag-weld maint y cynhaeaf a phennu'r dreth y byddai'n rhaid ei chodi ar bobl ar eu cyfran o'r cnydau.

Câi'r afon ddylanwad mawr ar wareiddiad yr Aifft. Roedd yn rhaid i'r Eifftiaid sianelu'r llif

i'r caeau ac yna gau'r sianelau er mwyn i'r mwd waelodi. Golygodd y ffaith bod yn rhaid cynnal a chadw'r deiciau a'r ffosydd dyfrhau trwy'r wlad mai yn yr Aifft y cafwyd y llywodraeth genedlaethol gyntaf. Datblygodd mathemateg yn sgîl y gwaith o fesur dyfnder y llifogydd ac o ailgodi ffiniau caeau. Gan fod teithio a symud nwyddau ar yr afon mor hwylus, aeth llawer o amser heibio cyn i'r Eifftiaid ddefnyddio olwynion, y ceffyl a'r camel.

Byddai boneddigion yr Aifft yn hamddena ar yr afon. Dibynnai pysgotwyr a golchwyr dillad ar yr afon am fywoliaeth. Gwyliai pob Eifftiwr rhag y crocodeil a'r hipopotamws.

Codai'r bobl gyffredin eu pentrefi ar dwmpathau wedi eu codi gan ddyn lle na allai'r llifogydd eu cyrraedd. I'r rhan fwyaf o bobl roedd tymor y llifogydd, *Akhet,* yn gyfle i orffwys. Byddai'r rhai na chaent eu galw i atgyweirio'r deiciau neu i weithio ar y pyramidiau yn yfed cwrw ac yn hamddena.

Bob blwyddyn, o Fehefin i Fedi, mae'r eira'n dadmer ac yn llifo o fynyddoedd Cush (Ethiopia) i'r Aifft. Mae'r mwd du yn cael ei olchi i lawr ac yn ffrwythloni'r tir ar gyfer cynhaeaf y flwyddyn nesaf. Mae'n dymor *Akhet,* y llifogydd. Cred yr Eifftiaid fod Afon Nîl yn dduw, ac mai Khnum, duw'r creu, sy'n gwneud i'r afon orlifo.

Tymor y Sychder

Peret (dod allan) oedd y tymor rhwng Hydref a Chwefror. Byddai'r Eifftiaid yn aredig, yn hofio ac yn agor ffosydd. Rhannai Ceidwad yr Ystordy hadyd a fyddai'n cael ei hau â llaw.

Tyfai'r ffermwyr fath o wenith, haidd, ffrwythau a llysiau. Tyfent lin i wneud brethyn lliain a phapurfrwyn i ysgrifennu arno. Byddent yn casglu mêl gan nad oedd siwgr ganddynt. Cadwai'r Eifftiaid afrewigod a garanod yn ogystal â gwartheg, defaid, geifr a moch.

Rhwng Chwefror a Mehefin roedd hi'n dymor *Shemu* (sychder), tymor y cynhaeaf. Gweithiai'r llafurwyr yn grwpiau o bump gyda *kherp* (gŵr y wialen ddisgyblu) yn feistr arnynt.

Gartref yn y pentref câi'r grawn ei sathru ar lawr dyrnu gan ychen. Byddai tail a baw yn mynd yn gymysg â'r grawn.

Mae'r gwerinwyr yn medi i gyfeiliant ffliwt. Gweddïant ar y dduwies Isis wrth weithio, oherwydd eu bod yn credu bod medi'r ŷd yn ei hatgoffa o'r modd y cafodd ei gŵr ei dorri'n ddarnau gan Seth (gweler tudalen 49).

Maent yn torri'r haidd yn union dan y dywysen (gweler uchod) er mwyn arbed cario'r gwellt diwerth yn ôl i'r pentref. Gadawant i'r tywysennau syrthio i'r ddaear, ac yna cânt eu casglu a'u llwytho ar asynnod.

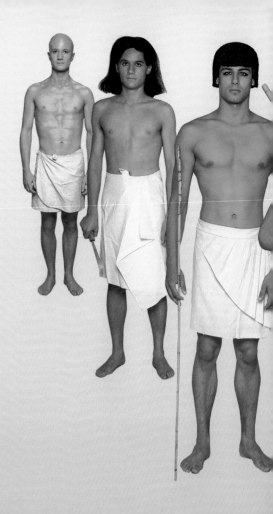

Cymdeithas yr Aifft

Prif swyddogion Chephren oedd yr *imakhu* (cyfeillion y pharo) ac fel rheol roeddynt yn aelodau o'r teulu brenhinol. Byddent yn arwain teithiau masnachol, yn rheoli'r fyddin ac yn llywodraethu'r nomau. Y prif weinidog (y *tjaty*) oedd y Prif Farnwr, ac ef hefyd oedd yn gofalu am y Trysorlys a Thŷ'r Granar (y Weinyddiaeth Amaeth). Weithiau, byddai'r pharo yn caniatáu i *imakhu* godi beddrod ger y pyramidiau ac i dderbyn yr offrwm o fwyd a fyddai'n gymorth iddo fyw ar ôl marwolaeth.

Roedd pob un o swyddogion y llywodraeth yn ysgrifenyddion (gwŷr dysgedig). Roedd y clercod a'r cludwyr sandalau, a'r rhai oedd yn arolygu prydau bwyd y brenin ac yn goruchwylio'r gwaith ar y pyramidiau yn llai pwysig na'r *imakhu*. Gweithiai llawer o ysgrifenyddion fel offeiriaid yn nhemlau'r duwiau neu yn Nhemlau'r Marwdai.

Ar radd is mewn cymdeithas roedd yr *hemutiu* — crefftwyr megis gwehyddion, cerflunwyr, cryddion a gemyddion a oedd yn darparu ar gyfer anghenion y cyfoethog. Yn is wedyn roedd y *mertu* (gwerinwyr), mwyafrif y boblogaeth, a gâi waith llafurio gan Dŷ'r Granar. Doedd dim caethweision yn yr Aifft, ond nid oedd gan y *mertu* unrhyw ryddid personol. Pan roddai'r pharo dir i un o'r pendefigion, byddai'r rhodd yn cynnwys y gwerinwyr oedd yn byw yno. Ychydig o eiddo oedd ganddynt, a byddent yn cael eu curo os na fyddent yn gweithio'n ddigon caled.

Chephren yn gwisgo sgert seremonïol ar gyfer gŵyl, a barf ffug, ac yn cario bagl a ffust, symbolau o'i rym a'i ofal am yr Aifft. Y tu ôl iddo (o'r dde i'r chwith) saif ei olynydd Mycerinus, aelod o'r teulu brenhinol, ysgrifennydd (gyda'i wialen awdurdod), goruchwyliwr, crefftwr (*hemutiu*) a gwerinwr (*mertu*).

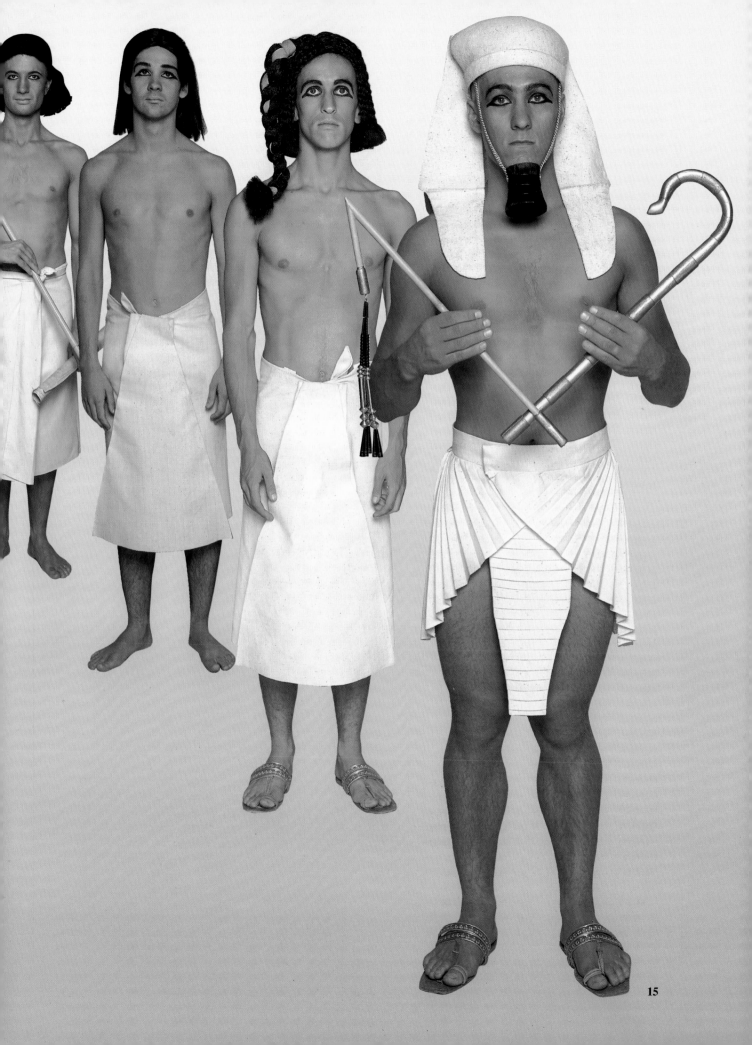

Bywyd Pob Dydd

Yn y trefi, câi cartrefi'r tlodion — y llafurwyr a'r crefftwyr — eu codi yn agos i'w gilydd rhwng gwe o heolydd cul. Briciau mwd wedi eu sychu yn yr haul oedd defnydd y tai a doedd rhai ohonynt yn ddim ond cytiau isel, er bod tair ystafell ynddynt fel rheol, a buarth bychan. Arweiniai grisiau i'r to gwastad lle câi ffrwythau, megis ffigys a datys, eu gosod i sychu yn yr haul. Ar dywydd poeth cysgai'r teulu ar y to.

Byddai pobl yn marw yn ifanc, ac felly roedd rhan fawr o'r boblogaeth yn blant a'r trefi'n llawn o bobl ifanc. Byddai'r bechgyn yn chwarae marchogaeth ar gefnau ei gilydd, tynnu rhaff a llam llyffant. Chwarae gyda doliau a dawnsio a gwneud eu gwalltiau y byddai'r merched. Gwisgent dlysau a cholur i dynnu sylw'r bechgyn. Yn lle cusanu, byddai'r Eifftiaid yn rhwbio trwynau.

Priodai cyplau pan fyddai'r ferch tua 12 oed a'r bachgen tua 15 oed. Priodai Eifftiwr ei wraig am ei fod yn ei charu, a byddai'n ceisio 'llenwi ei stumog a rhoi dillad ar ei chefn'. Er y byddai gwŷr a gwragedd yn galw'i gilydd yn 'frawd' a 'chwaer', ni fyddai brodyr a chwiorydd teuluoedd cyffredin yn priodi ei gilydd fel yn y teulu brenhinol.

Mae gwragedd yr Aifft yn yr Hen Deyrnas yn aros gartref gan mwyaf. Tra mae'r plant yn chwarae, gweithiant yn y tŷ, yn gwneud cwrw ac yn paratoi llysiau i'w coginio. Ond eu prif waith yw gwneud bara. Byddant yn malu'r ŷd yn flawd, yn ychwanegu dŵr, ac yn cymysgu peth o fara ddoe sydd heb ei grasu gydag ef i wneud i'r toes godi. Yna gwnânt dorthau o wahanol siapiau ohono a'u taro ar waliau eu ffyrnau clai, neu eu gollwng i'r lludw poeth.

Mae'r blawd yn llawn tail a baw, ac mae'r bobl yn dioddef poen stumog yn aml. Yn ogystal, mae'r graean mân sy'n mynd i'r bara yn treulio eu dannedd.

Coluro

Ymhlith y dosbarthiadau uchaf, uchafbwynt y diwrnod oedd gwledda yn yr hwyr.

Byddai'r Eifftiaid yn cymryd gofal mawr ynglŷn â gwisgo. Dechreuent baratoi yn y prynhawn. Rhwbient olew a phersawr ar eu crwyn, ac eillient eu pennau a'u cyrff â raselydd efydd. Byddent yn ysgarthu eu hunain yn aml, er lles eu hiechyd, drwy gymryd cymysgedd o sena a ffrwythau i glirio eu hymysgaroedd.

Er y byddai'r Eifftiaid yn gwisgo gwallt gosod, nid oeddynt eisiau mynd yn foel. I rwystro hynny rhwbient bethau megis tail

18

gafrewig a saim hipopotamws i'w pennau. Credent fod swyn i gadw eu gwallt rhag gwynnu yng ngwaed tarw du.

Roedd arogli'n hyfryd yn bwysig, oherwydd roedd aroglau chwys yn arwydd o bechod. Byddent yn taenellu persawr wedi ei wneud o fyrr a thus a phlanhigion persawrus ar eu dillad. Yn olaf, byddai gwas a elwid yn brif eneiniwr yn gosod côn ar gorun pob un ohonynt. Roedd y côn wedi ei fwydo ag eli peraroglus a byddai'n toddi'n raddol dros eu gwallt yng ngwres yr hwyr. Drwy wneud hynny byddent yn sicr o arogli yr un mor hyfryd ar ddiwedd y noson ag ar ei dechrau.

Byddai'r gwragedd yn llys Chephren yn cnoi pelenni mêl i felysu eu hanadl. Byddent yn rhoi eli coch ar eu gweflau ac yn lliwio ewinedd eu dwylo a'u traed yn goch hefyd. Byddent yn peintio o amgylch eu llygaid â deunydd du a wneid o fwyn plwm wedi ei falurio'n bowdr, ac yn peintio eu hamrannau'n las â lliw wedi ei wneud o bowdr mwyn copor.

Gwisgent wddfdorchau, breichledau ac addurniadau o amgylch eu migyrnau.

Mae Eifftiaid ffasiynol yn gwisgo gwallt gosod. Rhoddant liw du o amgylch eu llygaid, lliw glas neu wyrdd ar eu hamrannau ac eli ar eu gweflau, gan ddefnyddio palet cymysgu a drych (chwith). Mae'r ferch yn gwisgo côn arogldarth.

19

Y Wledd

Yn yr Hen Deyrnas, byddai swyddogion y llys a'u teuluoedd yn byw gyda'r pharo ym Mhalas y Mur Gwyn ac roedd gan y swyddogion cyfoethocaf dai haf hefyd.

Byddai gwleddoedd yn cael eu cynnal i ddathlu pob un o'r prif wyliau crefyddol, ond byddai gŵr cyfoethog yn aml yn gorchymyn ei weision i baratoi pryd enfawr yn unswydd i ddifyrru ei gyfeillion. Mewn gwledd o'r fath byddai ei *ka* (ysbryd haelioni) yn gwneud iddo 'estyn ei freichiau ar led mewn lletygarwch'. Byddai morynion yn cynnig cig eidion, gafr, gafrewig, gŵydd a hwyaden i'r gwesteion. Byddai pob saig yn cael ei pharatoi gyda sawrlysiau a sbeisys o wledydd tramor.

Â'u bysedd y byddai'r gwesteion yn bwyta. Yfent ychydig o win a phedwar math gwahanol o gwrw. Byddent yn arogleuo blodau lotus gan eu gwasgu rhwng eu bysedd i sawru'r persawr.

Roedd aroglau yn bwysig i'r Eifftiaid; roedd llun trwyn mewn ysgrifen Eifftaidd yn golygu 'aroglau', 'blas' a 'mwynhau'. Felly ymhob gwledd, roedd cymysgedd llesmeiriol o aroglau persawr, blodau, bwydydd a sbeisys.

Tua diwedd y noson, byddai cantorion, acrobatiaid a dewiniaid yn diddanu'r gwesteion. Byddai merched ifanc yn perfformio dawnsiau araf, gosgeiddig. Chwaraeai cerddorion y delyn, y liwt, y sither a'r sistrwm (ratl fetel).

Roedd cyfarwyddiadau ar bapurfrwyn yn dysgu pobl sut i ymddwyn mewn gwledd. Câi gwesteion eu cynghori i edrych ar eu bwyd rhag i bobl feddwl eu bod yn rhythu arnynt. Dim ond pan fyddai rhywun yn dweud rhywbeth wrtho y dylai gwestai cwrtais siarad, a dim ond pan fyddai eraill yn chwerthin y dylai yntau chwerthin. 'Dyna'r drefn yn yr Aifft,' meddai un llawlyfr ar sut i ymddwyn, 'a dim ond ffŵl fyddai'n cwyno am hynny.'

Mae'r dynion a'r merched yn eistedd ar wahân yng ngwledd un o'r pendefigion, heb ymuno yn y canu na'r dawnsio. Credant fod prydau bwyd yn werthfawr yng ngolwg y duwiau a bod yn rhaid ymddwyn yn gwrtais.

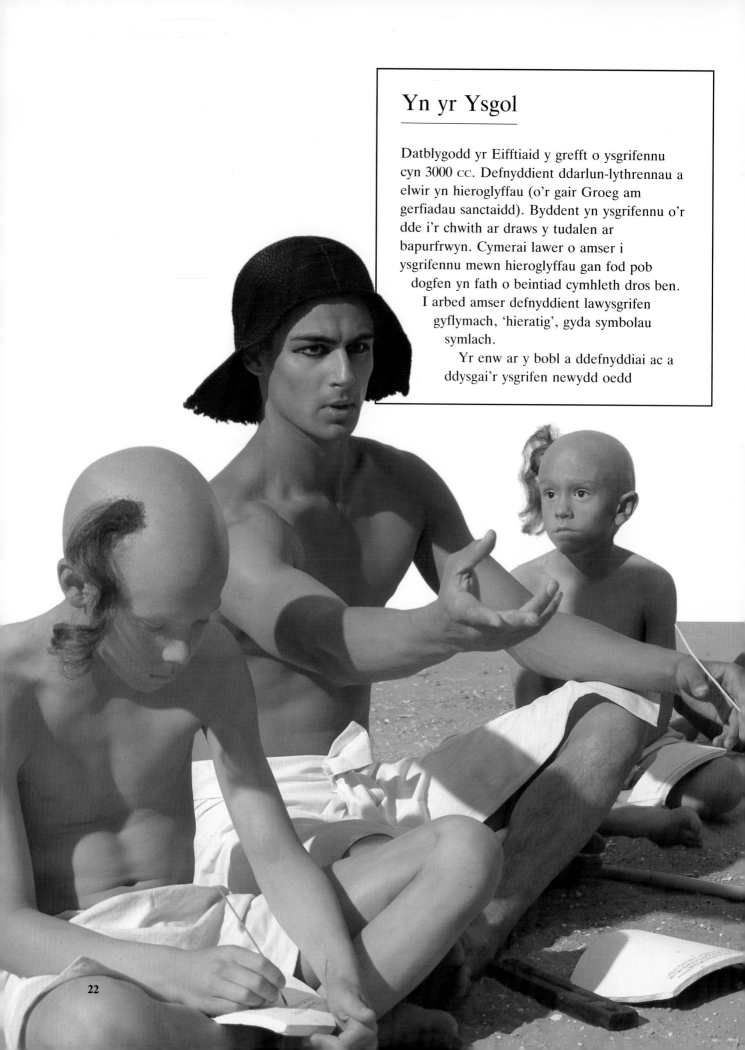

Yn yr Ysgol

Datblygodd yr Eifftiaid y grefft o ysgrifennu cyn 3000 CC. Defnyddient ddarlun-lythrennau a elwir yn hieroglyffau (o'r gair Groeg am gerfiadau sanctaidd). Byddent yn ysgrifennu o'r dde i'r chwith ar draws y tudalen ar bapurfrwyn. Cymerai lawer o amser i ysgrifennu mewn hieroglyffau gan fod pob dogfen yn fath o beintiad cymhleth dros ben. I arbed amser defnyddient lawysgrifen gyflymach, 'hieratig', gyda symbolau symlach.

Yr enw ar y bobl a ddefnyddiai ac a ddysgai'r ysgrifen newydd oedd ysgrifenyddion. Yr hieroglyff am ysgrifennydd oedd palet â phaent coch a du arno, pot dŵr a brws.

Âi holl blant yr Aifft i'r ysgol yn bedair oed. Fel rheol, byddent yn gadael yn 12 oed. Dechreuai'r bechgyn ddysgu crefft eu tadau a byddai'r merched yn helpu eu mamau yn y tŷ. Parhâi meibion y swyddogion i astudio am rai blynyddoedd. Arhosai rhai merched hefyd yn yr ysgol a dod yn ysgrifenyddion, ond byddai pobl yr Hen Deyrnas yn gwawdio'r hyn a ysgrifennid gan ferched.

Roedd llawer o yrfaoedd i ysgrifenyddion. Gallent weithio i'r Fyddin neu'r Trysorlys. Gallent fod yn feddygon, yn offeiriaid neu'n benseiri. Yn ôl un hen ddogfen, câi

ysgrifennydd well bywyd na'r rhan fwyaf o bobl. Roedd yn feistr arno'i hun, tra oedd 'y gof yn gweithio yng ngwres y ffwrnais, ac yn drewi fel wyau pysgod wedi pydru.'

Dysg y disgyblion ddiarhebion a storïau ar eu cof, a chopïant destunau gosodedig ar dameidiau o grochenwaith arbennig ac ar lechi calchfaen.

Dysgant ddarllen, ysgrifennu a rhifyddeg, ac mae'r disgyblion hynaf yn astudio daearyddiaeth a hanes. Ni chânt eu dysgu i feddwl drostynt eu hunain. Cânt eu cosbi am gwestiynu ac am ddangos diffyg parch.

Cred yr athro mai ar ei gefn y mae clustiau bachgen — ei guro yw'r unig ffordd i'w gael i wrando.

Mae'r gwersi'n hynod o ddiflas. Mae'r disgyblion yn sibrwd ac yn synfyfyrio, ac yn dyheu am hanner dydd pan ddaw eu mamau â phryd o fara a gwin barlys iddynt.

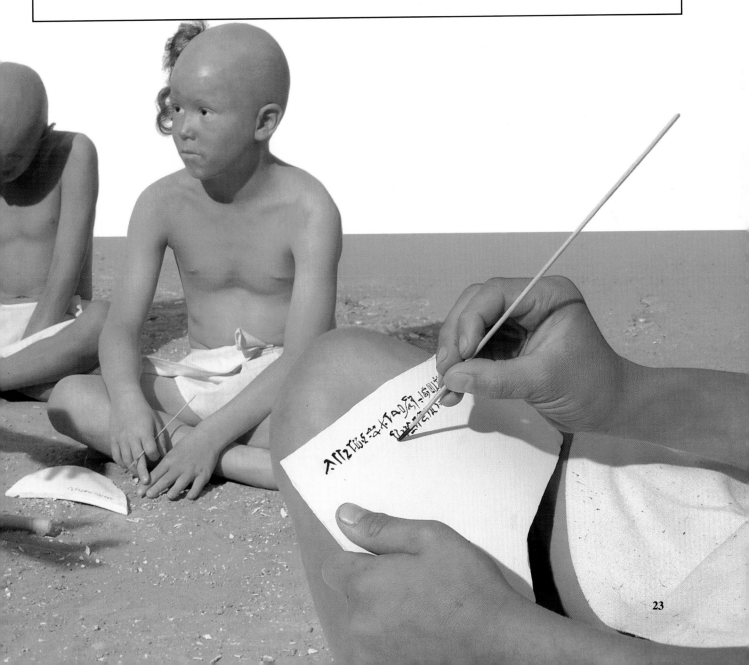

24

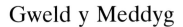

Gweld y Meddyg

Yn yr Hen Deyrnas, roedd meddygaeth hanner ffordd rhwng dewiniaeth a gwyddoniaeth.

Roedd gan feddygon werslyfrau papurfrwyn yn egluro sut i archwilio'r claf ac i adnabod afiechyd; edrychent am arwyddion megis 'gwaed fel gwaed mochyn wedi ei ffrio'.

Roeddynt yn arbenigwyr ar rwymo clwyfau ac ar roi cymorth cyntaf. Roedd rhai o'u meddyginiaethau yn cynnwys pethau sy'n dal i gael eu defnyddio heddiw.

Yn aml, fodd bynnag, ni allai'r meddygon wneud dim i leddfu poen na rhwystro marwolaeth. Yn lle hynny defnyddient ddewiniaeth. Roedd yr eli ar gyfer dallineb yn cynnwys llygad mochyn, oherwydd y credai'r meddygon ei fod yn cynnwys hud y gallu i weld. Byddent hefyd yn defnyddio llysiau drewllyd a physgod pwdr yn swynion i amddiffyn cleifion rhag ysbrydion. Byddai rhai yn gofyn i'r meddyg am gyngor ar sut i gael gwared ar chwain neu sut i wneud i ddillad arogli'n hyfryd. Disgwyliai pobl iddo wybod popeth.

'Rydych chi'n colli'ch golwg,' meddai meddyg wrth ŵr bonheddig, 'ond fe alla i drin y clefyd.' Mae'n cymryd llygad mochyn, ocr coch a mêl, ac yn eu malu'n fân. Mae'n arllwys yr eli i glust y claf ac yna'n adrodd geiriau swyn ddwywaith. 'Rwyf wedi rhoi'r eli hwn ar y clwyf; byddwch yn gallu gweld unwaith eto.'

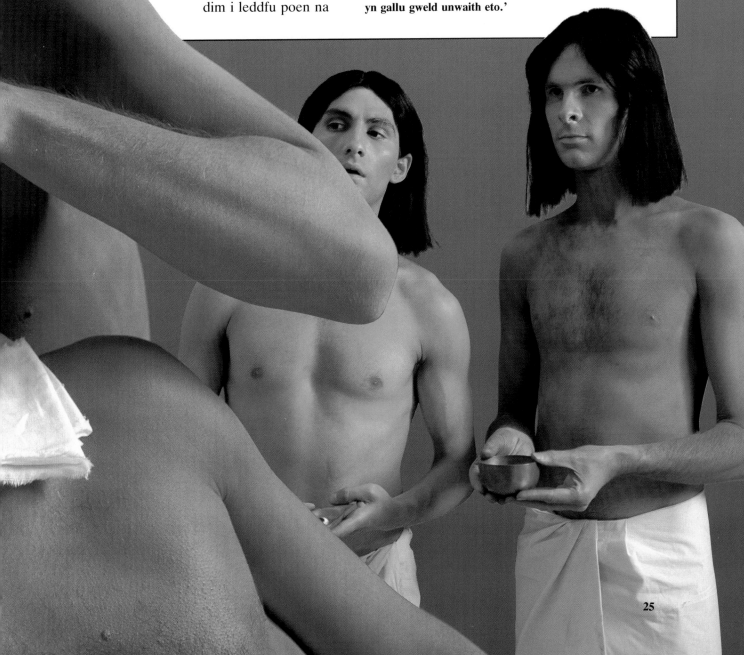

Hela

Byddai Eifftiaid tlawd yn hela gan ddefnyddio gwahanol fathau o rwydi i ddal adar neu bysgod i'w bwyta. Byddai'r pendefigion yn hela adar y corsydd trwy daflu ffon debyg i fwmerang ac yn pysgota â phicelli. Roedd yn rhaid wrth gryn fedr i ddefnyddio'r arfau hyn. Âi Eifftiaid cyfoethog i hela'r hipopotamws â phicelli a rhaffau, mewn cychod bach wedi eu gwneud o bapurfrwyn. Roedd rhaid bod yn ddewr iawn i hela'r hipopotamws gan ei fod yn gryf a ffyrnig.

Âi rhai pendefigion i'r anialwch i hela. Meistr yr Helfa oedd un o'r enwau ar weinidog nôm yr anialwch. Taflent lasŵ i ddal gafrewigod a geifr gwyllt ac yna fe'u cadwent yn anifeiliaid domestig. Cadwai merched y mwncïod fyddai'n cael eu dal yn anifeiliaid anwes, a châi babwniaid eu defnyddio i warchod y marchnadoedd. Byddai'r pendefigion yn ymlid llewod a llewpartiaid gyda chŵn hela, a gobeithient ladd un o greaduriaid chwedlonol yr anialwch: y sffincs, oedd â phen dyn a chorff llew; neu *sag*, sef hanner llew a hanner hebog.

Roedd hela yn fwy na difyrrwch. Yn chwedl Horus (tudalen 49) roedd y duw dieflig Seth wedi cuddio mewn corff hipopotamws. Roedd cred hefyd bod Seth yn byw yn anifeiliaid yr anialwch. Drwy ladd yr anifeiliaid hyn roedd yr Eifftiaid yn ailadrodd buddugoliaeth Horus dros Seth. Byddai offeiriaid yn hela llewod i'w haberthu i dduw Afon Nîl, er mwyn peri i'r afon orlifo. Roedd Sebek, y crocodeil, yn un o dduwiau'r Aifft.

Ar y ffordd adref drwy'r pentref gyda'u helfa o adar gwyllt, mae un o'r boneddigion ifanc yn paratoi i daflu ffon at aderyn. Yn y cefndir, mae gwerinwyr yn cario sachaid o rawn i'w dalu'n dreth.

Penderfyniad Pharo

Rheolai Chephren yr Aifft fel y rheolai Re y duwiau. Roedd ei awdurdod yn arswydus. Câi pwy bynnag a gyffyrddai ei deyrnwialen, hyd yn oed ar ddamwain, ei ladd. Roedd prif weinidog a gâi'r hawl i gyffwrdd traed y pharo â'i drwyn, yn hytrach na chyffwrdd y ddaear o'i flaen, yn derbyn anrhydedd fawr iawn.

Y pharo a reolai bob masnach. Anfonai fasnachwyr i Cush (Ethiopia), Punt (Somalia) a Byblos (Libanus), mwynwyr i Sinai a byddinoedd i Nubia (Sudan) a Libya.

Er bod yr holl rym yn nwylo Chephren, roedd llawer o gyfyngiadau ar ei fywyd. Roedd yn rhaid iddo ddeffro gyda'r wawr i gael ei olchi gan wragedd ei harem (llys ei wragedd). Roedd yn rhaid iddo gynnig bwyd i'w gyndeidiau bob dydd. Cyn pob pryd bwyd

roedd yn rhaid molchi'n drwyadl, golchi ei geg a newid ei ddillad. Roedd hyd yn oed yn dilyn arferion seremonïol wrth fwyta, oherwydd roedd pob pryd yn offrwm i ryw dduw neu'i gilydd.

Bob dydd byddai'r pharo yn archwilio'r cyfrifon a'r adroddiadau, yn arddywedyd llythyron wrth ei ysgrifenyddion, ac yn cyhoeddi gorchmynion. Weithiau ni fyddai'n siarad ei hun, ond yn gadael i swyddogion o'r enw y Genau, y Tafod a'r Ailadroddwr siarad ar ei ran.

Efallai mai dyna'r ffordd, un diwrnod tua 2555 CC, y cyhoeddodd Pharo Chephren ei benderfyniad i godi pyramid.

Caiff Mahnud Hotep, *imakhu,* **pensaer ac archoffeiriad y duw Ptah (duw'r crefftwyr), ei alw gerbron Chephren. Caiff ei benodi'n Bennaeth Mawr y Gwaith ar y pyramid sydd i'w alw'n 'Mawr yw Chephren'.**

29

Darganfod Cyfeiriad y Gogledd

Gwaith cyntaf Pennaeth Mawr y Gwaith oedd paratoi cynlluniau'r pyramid. Roedd hen goel y byddai enaid y pharo yn troi'n aderyn wedi iddo farw, ac yn hedfan gyda lamp yn ei big i fod yn seren yn awyr y gogledd. Felly, roedd yn rhaid i'r pyramid linellu â Seren y Gogledd. Gan fod y sêr wedi newid eu safle yn yr awyr, y seren a alwn ni'n Alpha Draconis oedd Seren y Gogledd i'r Eifftiaid.

Byddai offeiriaid yr Aifft yn astudio'r sêr yn ofalus gan mai'r nefoedd oedd cartre'r duwiau. Defnyddient sêr-ddewiniaeth i benderfynu pa rai oedd dyddiau 'lwcus' neu 'anlwcus' y mis, a pha bryd y dylid cynnal gwyliau'r duwiau. Roedd ganddynt galendr cywir erbyn 4000 CC, fil o flynyddoedd cyn geni Abraham.

Wedi i'r offeiriaid benderfynu ar union linelliad y pyramid, ymwelodd Chephren a Mahnud Hotep â Giza ar ddiwrnod 'lwcus'. Nododd y ddau bedair cornel y safle a rhoi offer a swynion o dan un o'r cerrig sylfaen. Cofnodwyd y seremonïau hyn yn y *Llyfr Adeiladu Temlau*, y credid iddo gael ei ysgrifennu gan Imhotep, pensaer y pyramid cyntaf.

Mae'r offeiriad, a elwir yn 'geidwad amser', yn cario *bay* (ffon balmwydd). Mae'n gwneud yn siŵr bod Seren y Gogledd a'r ffyn y mae ef a'i was yn eu dal mewn llinell syth. Mae'r llinell rhwng y ddwy ffon yn pwyntio'n syth i'r gogledd. Mae mesuriadau'r offeiriad mor fanwl gywir fel mai dim ond y ddeuddegfed ran o radd y mae ochr leiaf cywir y pyramid allan ohoni.

Lefelu'r Gwaelod

Ar ôl i weddïau gael eu hadrodd, cliriodd gweithwyr y tywod a dechrau lefelu'r graig.

Cafodd pyramid Chephren ei godi ar lethr a'i seiliau'n ymestyn dros 11 acer. I wastatáu llain mor fawr agorwyd rhigolau a'u llenwi â dŵr (gweler isod). Daw dŵr o hyd i'w lefel ei hun, felly wrth nodi lefel y dŵr, roedd y cynllunwyr yn sicrhau bod y sail yn berffaith wastad.

Mewn llawer o byramidiau, y graig o amgylch yr ymylon yn unig fyddai'n cael ei lefelu. Gadawai'r adeiladwyr fryn creigiog y tu mewn i'r pyramid a byddai hynny'n cryfhau'r adeilad.

Ar yr un pryd, roedd gweithwyr eraill yn cloddio twnnel byr ar oleddf o dan y safle. Wedi cyrraedd tua 16 troedfedd (5 metr) o ddyfnder, gwnaethant siambr fechan ar ei ochr ddwyreiniol a gwthio carreg ithfaen fawr i do'r twnnel, yn barod i'w gollwng i gau'r fynedfa.

Yna, cloddiodd y seiri meini ail siambr yng nghanol y sylfaen, 47 × 17 troedfedd a 23 troedfedd o ddyfnder (15 × 5 × 7 metr). Roedd twnnel yn arwain o'r siambr hon i ymyl y safle.

Does neb yn gwybod pam y cloddiodd y gweithwyr ddwy siambr danddaearol. Efallai i'r cynlluniau gael eu newid ar ôl i'r gwaith ddechrau, neu efallai mai pwrpas y twnnel cyntaf oedd drysu lladron.

Mae gweithwyr yn lefelu'r graig i wneud sail wastad i'r pyramid. Does ganddynt ddim peiriannau nac offerynnau pŵer, dim ond arfau llaw wedi eu gwneud o gopor neu graig galed o'r enw dolerit. Gan fod yr arfau copor yn treulio'n gyflym, mae tîm o weithwyr metel yn rhoi min ar yr offer ac yn llunio rhai newydd.

Yn y Chwarel

O chwareli calchfaen ger Giza y dôi'r blociau cerrig ar gyfer y pyramidiau. Roedd cymaint â 1,000 o ddynion, wedi eu rhannu'n gangiau, yn gweithio yn y chwareli. Roedd gan bob gang ei henw. Mae marc cyfrif un o'r gangiau hyn yn dal i fod ar un o'r cerrig yn y Pyramid Mawr: 'Gang y Crefftwyr. Mor gryf yw Coron Cheops!'

Torrodd y dynion ochrau bloc â chynion copor. Yna torasant dyllau o amgylch gwaelod y bloc a churo darnau o bren sych i mewn i'r tyllau. Chwyddodd y pren wedi iddynt ei wlychu, a gwthio'r bloc i fyny gan gracio'r calchfaen a rhyddhau'r bloc.

Sgwariodd y gangiau'r blociau yn fras â gyrdd dolerit. Llifiwyd blociau mawr yn eu hanner â llif gopor; gollyngwyd tywod gwlyb i mewn i'r rhigol yn sgraffinydd i rwyddhau'r gwaith o lifio.

Dôi'r cerrig allanol ar gyfer y pyramidiau o chwareli yn Tura, ar ochr arall Afon Nîl. Yn chwareli Tura roedd y cerrig gorau i mewn yng nghrombil y bryn, ac felly roedd yn rhaid i'r dynion weithio mewn twneli tanddaearol. Wedi i'r blociau gael eu torri, caent eu cadw hyd dymor *Akhet,* ac yna eu llwytho ar gychod fflat a'u rhwyfo ar draws y llifogydd i'r pyramidiau yn Giza.

Roedd y chwareli ithfaen yn Aswan, tua 500 milltir (800 kilometr) i'r de o Giza. Byddai pobl gwlad gyfagos Nubia yn ymosod yn aml ar y gweithwyr, ac felly roedd yn rhaid i Chephren anfon milwyr yno i'w hamddiffyn. Nid âi neb i Aswan o'i fodd — byddai'n rhaid eu gorfodi i fynd yno.

Defnyddiwyd ithfaen, sy'n galetach ac yn gryfach na chalchfaen, ar gyfer pileri a slabiau toi yn y pyramidiau. Roedd rhai o'r blociau ithfaen yn pwyso cymaint â 50 tunnell, felly roedd eu symud dros y fath bellter yn gryn gamp.

Gangiau o weithwyr yn llusgo blociau cerrig tuag at Afon Nîl. Mae pob bloc yn pwyso bron i 3 tunnell. Dim ond rholeri a throsolion sydd gan y dynion i'w symud.

Yr Haen Gyntaf

Gweithiai'r llafurwyr chwe awr y dydd, gan orffwys ganol dydd pan fyddai'n rhy boeth i weithio. Rhan o'u tâl oedd rhuddygl a garlleg a fyddai'n eu cadw rhag cael clefyd ar eu stumogau.

Roedd y rhan fwyaf ohonynt yn byw ger y pyramid mewn barics, adeilad llawr pridd mawr wedi ei godi o galchfaen garw. Roedd 91 o ystafelloedd yn y barics a phob un yn 88 × 10 troedfedd (27 × 3 metr). Gallai cymaint â 4,000 o ddynion gysgu yno.

I'r de o'r pyramid roedd pentref bychan. Yma byddai'r cannoedd o grefftwyr — seiri maen, cerflunwyr, artistiaid a thirfesuryddion — a weithiai ar y pyramid drwy'r flwyddyn, yn byw gyda'u teuluoedd. Doedd dim dŵr yn y pentref; roedd yn rhaid ei gario o'r afon a'i gadw mewn seston. Yn ddiweddarach roedd yn rhaid gwarchod y seston rhag i bobl ddwyn y dŵr.

Roedd glendid yn broblem, ac roedd drewdod y carthion, yr ysbwriel a'r marwdy gerllaw yn frawychus. Weithiau câi'r drycsawr ei gario i fyny'r afon i Balas y Mur Gwyn, gan atgoffa Chephren o'i gartref terfynol.

Y dyn â'r ffon yw'r fforman. Mae ei gang yn tynnu'r bloc i fyny'r ramp â grym bôn braich, gan nad oes gan yr Eifftiaid greiniau na phwlis. Er bod y bloc yn pwyso dros 2 dunnell, mae'r pwysau'n cael ei rannu'n gyfartal rhwng y dynion ac mae gwaelodion y car llusg wedi cael ei iro, i wneud y gwaith yn rhwyddach.

Gang y Sgorpion yw enw'r dynion arnynt eu hunain. Pan nad ydynt yn gweithio, byddant yn cerfio graffiti ar y blociau, ac yn ymffrostio mai hwy yw'r grŵp sy'n gweithio galetaf.

Toi'r Siambr Gladdu

Cymerodd o leiaf fis i osod y 30,000 o flociau yn haen isaf y pyramid yn eu lle. Yna, paratôdd y gweithwyr i osod y slabiau toi dros y siambr gladdu.

Cyn gwneud hynny roedd yn rhaid iddynt ollwng y sarcoffagws (arch garreg) i'r siambr, gan ei bod yn rhy fawr i ddod â hi i lawr y fynedfa drwy'r twnnel. Llanwyd y siambr â thywod a llusgo'r sarcoffagws i ben y tywod. Yna, rhofiwyd y tywod allan — 1,000 tunnell ohono. Wrth i lefel y tywod ostwng, byddai'r sarcoffagws yn disgyn i'r siambr. I orffen, symudwyd yr arch i dwll yn llawr y siambr gladdu.

I roi'r slabiau to yn eu lle, llanwodd y gweithwyr y siambr gladdu â thywod unwaith eto. Defnyddiwyd rholeri pren i lusgo'r slabiau ar draws haen isaf y pyramid cyn eu codi i'w lle ar ben y tywod â throsolion. Cafodd un gang anffodus y gwaith o gario'r 1,000 tunnell o dywod allan o'r siambr ar hyd y twnnel.

Wedi i'r pyramid gael ei gwblhau, bydd ei holl bwysau yn gorffwys ar slabiau toi y siambr gladdu, felly mae'n rhaid eu gosod yn berffaith yn eu lle. Cânt eu gosod ar ffurf llythyren 'V' lydan a'i phen i lawr, fel bod pwysau'r pyramid tuag i lawr yn cael ei gyfeirio tuag allan ar furiau'r siambr gladdu.

Hanner Ffordd

Ddwy fil o flynyddoedd ar ôl oes Chephren, mynnodd yr awdur Groegaidd Herodotus mai gormeswyr yn gorfodi'r Eifftiaid i weithio ar y pyramidiau oedd Chephren a Cheops. Hawliodd eu bod yn gweithio "fesul grwpiau o 100,000 o ddynion ar y tro, pob grŵp am dri mis".

Erbyn heddiw, mae pobl o'r farn mai dim ond 8,000 o bobl ar y mwyaf allai weithio ar safle'r pyramid ar yr un pryd. Pe bai mwy yno, byddent wedi baglu ar draws ei gilydd. Ac er eu bod yn cael eu gorfodi i weithio'n galed a

bod y goruchwylwyr yn llawdrwm, credent fod y pharo'n dduw a oedd yn gwarchod y wlad a bod ei gadw'n ddiogel hyd dragwyddoldeb o bwys i bawb. Roeddynt hefyd yn cael bwyd yn dâl yn y tymor pan oedd y caeau wedi eu gorlifo a dim cnydau yn cael eu cynhyrchu.

Roedd gwaelod pyramid Chephren yn 708 troedfedd (216 metr) sgwâr, ac yn cynnwys dros ddwy filiwn o flociau cerrig. Anodd amgyffred sut y trefnwyd codi adeilad mor fawr.

Er bod miloedd o werinwyr yn cael eu gorfodi i wneud y gwaith llafurio di-grefft, dim ond yn ystod pedwar mis *Akhet* yr oeddynt ar gael. Er mwyn adeiladu pyramid mewn 20

mlynedd, roedd yn rhaid gosod mil o flociau yn eu lle bob dydd — tri bob munud. Yn ogystal, fel roedd y pyramid yn mynd yn uwch, roedd yn rhaid llusgo'r blociau i fyny rampiau hirion cyn eu rhoi yn eu lle. Oherwydd ei siâp, pan oedd y pyramid wedi cyrraedd dwy ran o dair o'i uchder terfynol, dim ond 4 y cant o'r blociau oedd yn aros i'w llusgo i'w lle. Er hynny, roedd tua 80,000 o flociau ar ôl i'r gweithwyr eu tynnu i fyny'r rampiau.

Yn y cyfamser, roedd Chephren wedi ychwanegu at y gwaith drwy orchymyn bod pyramid llai i'w godi i'r de. Erbyn heddiw mae hwnnw wedi ei falurio bron yn llwyr, ond roedd yn 65 troedfedd (20 metr) sgwâr, ac yn 42 troedfedd (13 metr) o uchder. Gelwir hwn weithiau yn 'byramid y frenhines'. Fodd bynnag, mae'r mynediad mor fach fel mai prin y gall oedolyn wthio i mewn iddo, ac mae'n debyg mai rhesymau crefyddol oedd dros ei godi.

Mae'r goruchwyliwr yn gweithio'n hwyr y nos yn cynllunio rhaglen waith yfory. Mae'r pyramid yn wyrth o drefniadaeth Eifftaidd: bydd dros gant o gangiau yn llusgo rhes ddi-fwlch o flociau cerrig i fyny'r rampiau i ben y pyramid. Mae'n rhaid i bopeth redeg yn esmwyth.

Damwain!

Gall pyramid ymddangos yn syml i'w godi, ond mae pwysau anferth y cerrig yn ei wneud yn hynod o ansad. Darganfu Imhotep, a gynlluniodd y pyramid cyntaf, ffordd i ledaenu'r pwysau drwy godi dwsinau o fwtresi (colofnau fertigol o flociau) bob 8 troedfedd (2.5 metr) y tu mewn i'r pyramid.

Hyd yn oed wedyn, ni chafodd pob pyramid ei gwblhau'n llwyddiannus. Mae'n ymddangos i daid Chephren, Seneferu, godi tri phyramid. Dim ond bwtresi bob 16 troedfedd (5 metr) oedd yn y pyramid ym Meidum ac fe gwympodd, ar ôl storm o law o bosibl. Craciodd to siambr y tu mewn i'r Pyramid Cam yn ystod yr adeiladu, gan orfodi'r adeiladwyr i newid ongl yr ochrau hanner y ffordd i fyny a lleihau'r uchder terfynol. Cwympodd y meini allanol oddi ar y Pyramid Coch cyfagos. Mae'r digwyddiadau hyn yn gwneud pyramid Chephren hyd yn oed yn fwy hynod.

Gall eiliad o ddiofalwch ar y pyramid achosi trychineb. Bob dydd, mae'r meddygon sydd ar y safle yn trin lliaws o anafiadau, breichiau a choesau wedi eu torri ac ati. Dim ond gang ffodus iawn sy'n gallu ymffrostio nad oes un o'i dynion wedi ei ladd wrth godi pyramid.

Cerfluniau Brenhinol

Cyn i'r cerflunwyr ddechrau gweithio ar gerflun, roedd yn rhaid perfformio amryw o seremonïau crefyddol. Yna, byddai crefftwr yn tynnu grid o sgwariau ar wyneb y garreg. Byddai wedyn yn tynnu llun amlinell o'r pharo, o'r tu blaen, o'r cefn ac o'r ochrau, ar bob un o ochrau'r bloc. Byddai pen-lin y pharo bob amser yn y chweched sgwâr a'r ysgwyddau yn y trydydd sgwâr ar ddeg. Mae'r rheolau hyn, oedd wedi eu nodi yn *Llyfr yr Artist,* yn egluro pam nad yw celfyddyd Eifftaidd yn edrych yn naturiol iawn.

Byddai'r cerflunwyr yn torri ysglodion o'r cernluniau o bob ochr nes cyfarfod yn y canol. Prentisiaid fyddai'n gwneud y gwaith bras ar y cychwyn a Chyfarwyddwr y Cerflunwyr fyddai'n gyfrifol am y gorffeniad.

Yn olaf, byddai hieroglyffau enwau Chephren yn cael eu hysgrifennu ar fôn y cerflun. O'r foment honno, yn ôl cred yr Eifftiaid, Chephren oedd y cerflun. Mewn cyfnodau diweddarach, byddai Eifftiaid cyfoethog yn torri'r enw gwreiddiol i ffwrdd oddi ar gerflun ac yn ychwanegu eu henwau eu hunain. Cerflun ohonynt hwy fyddai wedyn.

Cerflunwyr yn y gweithdy brenhinol yn cerfio cerfluniau diorit y pharo. Bydd y rhain yn cael eu gosod yn Nheml Dyffryn y pyramid, ar lan Afon Nîl. Math o garreg werdd yw diorit. Mae rhai o'r cerfluniau wedi eu cwblhau ac yn aros am seremoni Agor y Genau er mwyn rhoi bywyd ynddynt.

Nid yw'r cerfluniau yn cynrychioli Chephren fel y mae — yn hen ŵr ar fin marw — ond yn dangos wyneb a chorff gŵr ifanc delfrydol. Mae hebogiaid wedi eu cerfio ar ysgwyddau'r cerfluniau yn y cefndir, oherwydd mai'r pharo yw'r duw Horus hefyd.

Cwblhau'r Gwaith

Roedd 124 o haenau o gerrig ym mhyramid Chephren. Ar ei ben gosododd yr adeiladwyr garreg gopa ithfaen fawr. Gyda'r garreg hon yn ei lle roedd uchder y pyramid yn 471 troedfedd (144 metr).

Gan weithio o gopa'r pyramid i'w droed, byddai gweithwyr yn gosod cannoedd o feini allanol o galchfaen Tura yn eu lle. Er eu bod wedi eu treulio gan y tywydd drwy'r canrifoedd, yn oes Chephren roeddynt yn wyn bron. Ithfaen coch o Aswan oedd defnydd yr haen isaf o gerrig allanol.

Cerfiodd cerflunwyr graig oedd yn brigo i'r wyneb gerllaw yn sffincs anferth. Roedd wynepryd Chephren ganddo.

Yng nghwrs y blynyddoedd cafodd y rhan fwyaf o'r cerrig allanol eu dwyn a'u defnyddio i godi adeiladau; defnyddiwyd llawer ohonynt i godi'r mosg mawr yn Cairo yn yr unfed ganrif ar bymtheg. Dim ond ychydig o'r meini allanol ger copa'r pyramid sy'n dal i fod yn eu lle.

Seiri yn naddu un o'r blociau calchfaen allanol. Rhaid ei osod yn gywir yn ei le o fewn ffracsiwn o fodfedd.

Wedi i'r seiri orffen eu gwaith, bydd offeiriaid yn defnyddio llinell blwm i wneud yn siŵr bod ongl y goleddf yn fanwl gywir (52.3 gradd). Yna bydd llafurwyr yn rhwbio'r meini allanol â cherrig caboli nes eu bod yn disgleirio yn yr haul, a bydd y cerflunwyr yn cerfio cannoedd o hieroglyffau arnynt yn disgrifio mynediad Chephren i'r nefoedd i reoli gyda'r duwiau.

Y Siwrnai Olaf

Credai'r Eifftiaid fod y meirw yn mynd i Deyrnas y Gorllewin, gwlad a oedd dan reolaeth y duw Osiris. Felly, roedd llawer o'r seremonïau angladdol yn seiliedig ar hanes Osiris.

Yn ôl y chwedl, cafodd Osiris ei falu'n ddarnau gan ei frawd Seth a wasgarodd ei gorff dros yr Aifft i gyd. Chwiliodd Isis, gwraig Osiris, am y corff a chasglu'r tameidiau ynghyd. Cafodd y tameidiau eu mwmeiddio a'u claddu, bob un mewn man gwahanol. Drwy ddewiniaeth, gwnaeth Isis bob un o'r tameidiau yn gorff cyflawn. Cyffyrddodd ei mab Horus enau pob un o'r cyrff a rhoi bywyd ynddynt. Yna lladdodd Horus Seth. Er iddo golli golwg un llygad yn ystod yr ymladdfa, cafodd ei olwg ei adfer a chafodd ei wneud yn pharo'r Aifft.

Roedd marwolaeth pharo yn drychineb i'r Eifftwyr oherwydd y pharo oedd y duw Horus, amddiffynnydd yr Aifft. Yn y palas eisteddai dynion â'u dwylo ar eu gliniau. Gadawai'r merched i'w gwisgoedd lithro oddi ar eu hysgwyddau. Byddent yn cwynfan ac yn taenellu baw ar eu pennau. Canai galarwyr proffesiynol gerddi angladdol.

Roedd yn bwysig iawn bod y seremonïau crefyddol yn cael eu perfformio'n gywir. Heb hynny ni fyddai Chephren yn cael ei aileni, ac ni allai'r pharo newydd ddechrau teyrnasu.

Mae Pharo Chephren wedi marw a'r offeiriaid wedi perfformio'r seremoni o 'chwilio' am ei gorff, fel y chwiliodd Isis am gorff Osiris. Mae corff y pharo yn cael ei gludo o Balas y Mur Gwyn i'w roi ar y cwch brenhinol. Yr Offeiriad Darllen sy'n arwain yr orymdaith. Mae'n darllen: 'Mae'r sêr yn wylo a'r meirw'n crynu, oherwydd bod pharo wedi codi tua'r gorwel.'

Mae etifedd y pharo yn cerdded y tu ôl i'r offeiriad. Yn y cefndir mae gweision yn cario'r eiddo y bydd ar Chephren ei angen yn y byd arall.

Mwmeiddio

Byddai cyrff Eifftiaid cyfoethog yn cael eu mwmeiddio wedi iddynt farw, oherwydd y goel y byddai arnynt eu hangen yn y byd arall.

Er na allai pobl dlawd fforddio cael eu mwmeiddio, byddent yn cael eu claddu'n noeth yn nhywod yr anialwch ar eu hochr chwith, yn wynebu'r gorllewin. Byddai'r tywod yn sychu eu cyrff yr un mor effeithiol â'r broses o fwmeiddio. Byddai celfi, gemwaith a bowlenni o fwyd yn cael eu claddu gyda hwy, yn arwydd eu bod yn gobeithio mynd i Deyrnas Osiris.

Gosodwyd corff Chephren ar gwch angladdol â chanopi uwchben. Llosgai lamp ym mlaen y cwch. Safai dwy alarwraig yn naill ben y cwch a'r llall i gynrychioli'r ddwy dduwies, Isis a Nephthys. Cludwyd y corff i lawr Afon Nîl i Giza. Credai'r Eifftiaid fod y daith fer hon yn cynrychioli'r daith y byddai'r pharo'n ei

chymryd yn fuan ar draws y corsydd i'r nefoedd.

Yn Giza, cafodd y corff ei fwmeiddio. Cymerai tua 70 diwrnod i offeiriaid arbennig, oedd yn aelodau o Urdd y Peraroglwyr Cyrff, wneud y gwaith hwn. Byddai'r seremonïau yn dilyn chwedl Osiris. Câi'r dyn a agorai'r abdomen i dynnu'r organau mewnol allan — y rhwygwr — ei yrru ymaith a thaflai pobl gerrig ato, efallai oherwydd ei fod yn atgoffa'r gwylwyr o Seth yn malurio corff Osiris.

Câi'r corff ei olchi, ei gadw rhag pydru â natron (math o halen) a'i rwymo â chadachau, yn union fel y gwnaeth Isis i gadw corff Osiris. Roedd caeadau'r pedair jar Ganopig (lle rhoid yr iau, yr ysgyfaint, y stumog a'r coluddion) wedi eu cerfio ar lun pennau anifeiliaid i gynrychioli'r pedwar duw a oedd, yn ôl y gred, yn amddiffyn yr organau mewnol.

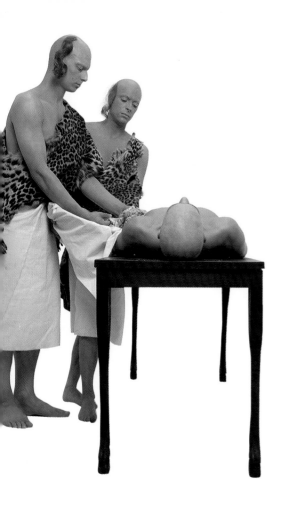

Offeiriaid yn golchi'r corff yn yr *ibu* (man puredigaeth), i gynrychioli ei aileni o farw (uchod, chwith eithaf). Yna rhwbiant y corff â natron i sychu a chadw'r croen (uchod, chwith).

Mae corff y pharo'n cael ei symud i'r *wabt* (y babell mwmeiddio). Yma, mae'r organau mewnol, a fyddai'n pydru'n fuan, yn cael eu tynnu allan. Cânt eu sychu â grisialau natron, eu rhwymo mewn cadachau wedi eu mwydo mewn hylif natron, a'u rhoi mewn jariau Canopig, i'w claddu yn ymyl y pharo (uchod).

Yna, caiff y corff ei iro â phersawr ac olew pêr a'i lenwi â chadachau, resin, natron, gwellt sych a llwch llif (de uchod).

Y dasg nesaf yw rhwymo cadachau am bob rhan o'r corff ar wahân, fel roedd Isis wedi rhwymo rhannau corff Osiris. Weithiau caiff y rhwymau lliain eu torri ar ffurf dillad neu farf hyd yn oed. Caiff resinau peraroglus eu defnyddio i ludio a chaledu'r rhwymau.

Rhaid gofalu rhag niweidio'r pen. Mae'r offeiriaid yn gwneud i'r wyneb edrych mor fyw ag y gallant, er bod y rhwymau sy'n ei guddio wedi eu lliwio'n wyrdd — lliw wyneb Osiris.

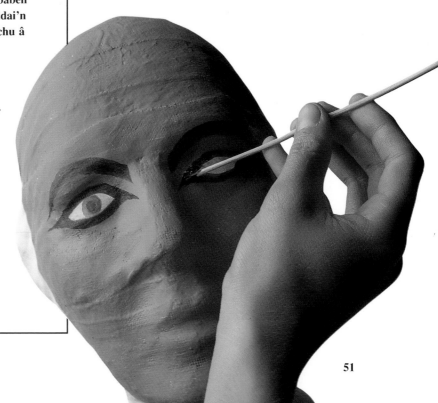

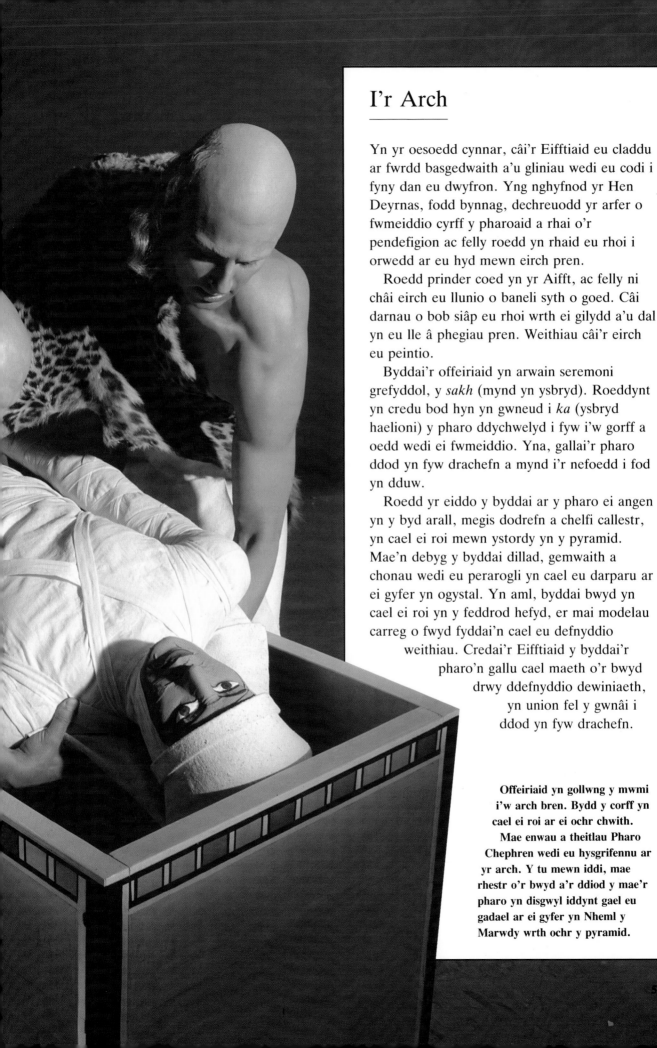

I'r Arch

Yn yr oesoedd cynnar, câi'r Eifftiaid eu claddu ar fwrdd basgedwaith a'u gliniau wedi eu codi i fyny dan eu dwyfron. Yng nghyfnod yr Hen Deyrnas, fodd bynnag, dechreuodd yr arfer o fwmeiddio cyrff y pharoaid a rhai o'r pendefigion ac felly roedd yn rhaid eu rhoi i orwedd ar eu hyd mewn eirch pren.

Roedd prinder coed yn yr Aifft, ac felly ni châi eirch eu llunio o baneli syth o goed. Câi darnau o bob siâp eu rhoi wrth ei gilydd a'u dal yn eu lle â phegiau pren. Weithiau câi'r eirch eu peintio.

Byddai'r offeiriaid yn arwain seremoni grefyddol, y *sakh* (mynd yn ysbryd). Roeddynt yn credu bod hyn yn gwneud i *ka* (ysbryd haelioni) y pharo ddychwelyd i fyw i'w gorff a oedd wedi ei fwmeiddio. Yna, gallai'r pharo ddod yn fyw drachefn a mynd i'r nefoedd i fod yn dduw.

Roedd yr eiddo y byddai ar y pharo ei angen yn y byd arall, megis dodrefn a chelfi callestr, yn cael ei roi mewn ystordy yn y pyramid. Mae'n debyg y byddai dillad, gemwaith a chonau wedi eu perarogli yn cael eu darparu ar ei gyfer yn ogystal. Yn aml, byddai bwyd yn cael ei roi yn y feddrod hefyd, er mai modelau carreg o fwyd fyddai'n cael eu defnyddio weithiau. Credai'r Eifftiaid y byddai'r pharo'n gallu cael maeth o'r bwyd drwy ddefnyddio dewiniaeth, yn union fel y gwnâi i ddod yn fyw drachefn.

Offeiriaid yn gollwng y mwmi i'w arch bren. Bydd y corff yn cael ei roi ar ei ochr chwith. Mae enwau a theitlau Pharo Chephren wedi eu hysgrifennu ar yr arch. Y tu mewn iddi, mae rhestr o'r bwyd a'r ddiod y mae'r pharo yn disgwyl iddynt gael eu gadael ar ei gyfer yn Nheml y Marwdy wrth ochr y pyramid.

Agor y Genau

Roedd enwau a theitlau Chephren wedi eu
hysgrifennu ar byrth Teml y Dyffryn.
Adlewyrchai'r haul oddi ar y llawr alabastr
gwyn, nes creu awyrgylch sanctaidd, arallfydol.
Yn y deml safai 23 o ddelwau o Pharo
Chephren, un ar gyfer pob rhan o'i gorff.
Cafodd y delwau eu 'gwneud yn fyw' yn
seremoni Agor y Genau. Credai'r Eifftiaid y
rhoddai hyn 23 o leoedd eraill i *ka* y pharo
orffwys, yn ogystal ag yn ei gorff
mwmeiddiedig.

Ar ôl y seremoni, cafodd arch Chephren ei
chario i fyny ramp â gorchudd drosti i Deml y
Marwdy wrth ochr y pyramid. Roedd y ramp
yn adeilad rhyfeddol, chwarter milltir (400
metr) o hyd, a holltau yn y to i'w oleuo.
Cafodd tarw ei ladd a gweddïau eu hoffrymu yn
y deml. Credai'r offeiriaid y byddai nerth y
tarw yn helpu Chephren i godi o'r meirw.

Yn olaf, cafodd arch Chephren ei chludo ar
hyd y twnnel i'r siambr gladdu yn y pyramid,
a'i gostwng i mewn i'r sarcoffagws carreg.
Seliwyd caead y sarcoffagws yn ei le. Dim ond
ar ôl hyn i gyd i gallai'r etifedd gymryd
meddiant o'r orsedd a'r teitl Pharo.

**Mae seremoni Agor y Genau yn rhoi bywyd yn nelw
Pharo Chephren. Mae hefyd yn dilyn y modd y
rhoddodd Horus ac Isis ei fywyd yn ôl i Osiris.**

**Perfformir y seremoni gan offeiriaid, gan gynnwys
mab y pharo (ar y dde) a fydd yn etifeddu'r orsedd.**

**Mae'r offeiriaid yn tasgu dŵr ar y cerflun, yn ei
arogldarthu ac yn cyflwyno offrwm iddo. Maent yn
cyffwrdd ei geg â chŷn a math o fwyell. Yna, rhwbiant
laeth ar ei wefusau a rhoi gwisg frenhinol amdano.**

Y Pharo yn ei Fedd

Roedd gan yr Eifftiaid lawer o syniadau am yr hyn a ddigwyddai i Chephren pan gâi ei gorff mwmeiddiedig ei osod yn y pyramid.

Yn ôl offeiriaid Re, âi'r pharo i'r nefoedd i lywodraethu gyda Re yn nheyrnas y duwiau. Mae'r hyn a ysgrifennwyd mewn rhai pyramidiau yn ei ddisgrifio'n cyrraedd y nefoedd: 'Mae bolltau'r drysau yn agor ohonynt eu hunain. Mae'n bwyta'r duwiau fel ymborth.' Yn y nefoedd byddai'n un o *imakhu* Re, ac yn ei helpu i fynd â'r haul ar draws yr wybren.

Yn ôl offeiriaid Osiris, âi'r pharo i deyrnasu ar Deyrnas y Gorllewin. Yno, ef fyddai Osiris. Pan yn pharo, Chephren oedd yn cynrychioli'r duw Horus. Ar ôl ei farw, ei fab oedd yn llywodraethu'r Aifft. Felly, Chephren oedd tad y pharo-Horus, a thad Horus oedd Osiris.

Yn rhith Osiris, defnyddiai Chephren ei bwerau dwyfol i amddiffyn yr Aifft a'r pharo newydd. Dyna pam roedd pyramid Chephren mor enfawr. Roedd yn gaer wedi ei chynllunio i gadw ei gorff mwmeiddiedig yn ddiogel fel y gallai barhau i warchod yr Aifft.

Ond ofer fu'r holl ymdrech. Pan ddaeth yr Eidalwr, Giovanni Belzoni, o hyd i'r fynedfa i'r pyramid ym 1818, roedd y stordy'n wag a'r beddrod wedi ei agor. Roedd caead ithfaen caboledig y sarcoffagws yn ddarnau ar y llawr. Roedd corff Chephren wedi ei ddwyn.

Mae etifedd y pharo a'r offeiriaid yn gadael y siambr gladdu, ac yn selio'r twnnel sy'n arwain iddi. Maent hyd yn oed wedi sgubo'r llawr i ddileu ôl eu traed. Uwch eu pennau, mae miloedd o dunelli o feini yn amddiffyn corff Chephren. Yn siambr frenhinol pyramid Chephren, tawelwch sy'n teyrnasu.

Offrymu i'r Marw

Er mwyn sicrhau diogelwch tragwyddol Chephren, perfformiai offeiriaid seremonïau crefyddol cyson yn Nheml y Marwdy. Eu tasg bwysicaf oedd cyflwyno bwyd i'w *ka*. Doedd Chephren ddim am fod fel y meirw anghofiedig; byddent hwy'n newynu ac yn bwyta eu carthion eu hunain. Roedd wedi darparu ffermydd i gynnal ei offeiriaid ac i dyfu bwyd ar gyfer ei offrymu iddo. Ni châi'r offeiriaid *ka* wneud unrhyw waith arall.

Y busnes mwyaf llewyrchus yn yr Hen Deyrnas oedd yr un oedd yn ymwneud â marwolaeth. Pan fyddai pharo yn codi pyramid, ef fyddai cwsmer mwyaf diwydiannau adeiladu, chwareli a llongau'r wlad. Ef hefyd oedd prif noddwr y peintwyr a'r cerflunwyr. Byddai codi pyramid yn datblygu sgiliau seryddwyr, penseiri a mathemategwyr. Roedd cael gafael ar weithwyr a chasglu trethi i dalu am y gwaith adeiladu yn cadw miloedd o weision sifil yn brysur. Byddai'r rhan fwyaf o ddynion yr Aifft yn y cyfnod hwn yn gweithio ar byramid rywbryd neu'i gilydd. Treuliai rhai eu hoes wrth y gwaith.

Roedd yr holl weithgarwch hwn yn straen ar economi'r Aifft. Roedd pob pharo a phendefig a godai byramid yn dwysáu'r broblem. Roedd gweini ar y meirw yn niweidio'r byw.

I'w wneud ei hun yn bur, mae'r offeiriad wedi molchi deirgwaith, wedi eillio ei gorff a gwisgo dillad lliain, gwyn, glân. Mae'n dod â bwyd i'w gynnig i Chephren, ac yn ei osod o flaen drws ffug sydd wedi ei gerfio yng ngherrig mur Teml y Marwdy. Cred y daw *ka* Chephren allan i fwyta'r offrwm.

Y Pyllau Cychod

Er bod Chephren wedi ei gladdu, roedd gwaith ar y pyramidiau'n bwrw ymlaen. Dyletswydd olynydd Chephren, Mycerinus, oedd cwblhau'r adeiladau o amgylch pyramid Chephren, tra'n cychwyn codi ei byramid ei hun. Fel rheol, roedd codi'r holl adeiladau cysylltiedig â'r pyramid yn ormod o dasg i'w chwblhau yn ystod teyrnasiad un pharo.

Mae'n debyg nad oedd Teml y Dyffryn na Theml y Marwdy wedi eu cwblhau pan fu farw Chephren. Hyd yn hyn nid oedd y crefftwyr wedi addurno'r ffordd dan do oedd yn arwain o'r naill i'r llall. Yn ôl Herodotus a fu'n ymweld â Giza tua 450 cc, roedd muriau'r temlau wedi eu gorchuddio â cherfddelwau. Efallai fod y cerfddelwau hyn yn portreadu teyrnasiad Chephren neu fywyd pob dydd.

Wrth ochr Teml y Marwdy cloddiodd gweithwyr chwech o dyllau mawr ar gyfer cychod. Cafwyd hyd i dwll tebyg ym 1954, ger Pyramid Mawr Cheops. Roedd wedi ei orchuddio â 41 o slabiau carreg wedi eu smentio â mortar pinc. Gallai'r archaeolegwyr arogli'r arogldarth a oedd erbyn hynny'n 4,500 mlwydd oed. Roedd cwch brenhinol y pharo yn y twll. Roedd wedi cael ei ddatgymalu yn 1,224 o ddarnau, ond wedi cadw yn ddigon da iddynt allu ei ail-lunio.

Seiri llongau yn datgymalu'r cwch angladdol a ddaeth â chorff Chephren i Giza. Mae'r cwch wedi ei wneud o goed cedrwydd o Byblos (Libanus). Mae nod ar bob planc i ddangos ei le yn y llong — yr ochr dde, yr ochr chwith, y pen blaen neu'r pen ôl. Mae'r rhwyfau wedi eu gadael yn eu lle ac mae'r llong yn wynebu'r gorllewin yn barod i gario'r pharo i Deyrnas Osiris.

Mae'r cwch yn cael ei roi yn un o'r chwe thwll ar gyfer cychod. Mae haen o blastr wedi ei rhoi ar ochrau'r twll i gadw'r aer allan. Cyn bo hir, daw seiri meini i lusgo blociau mawr o gerrig i gau ceg y twll.

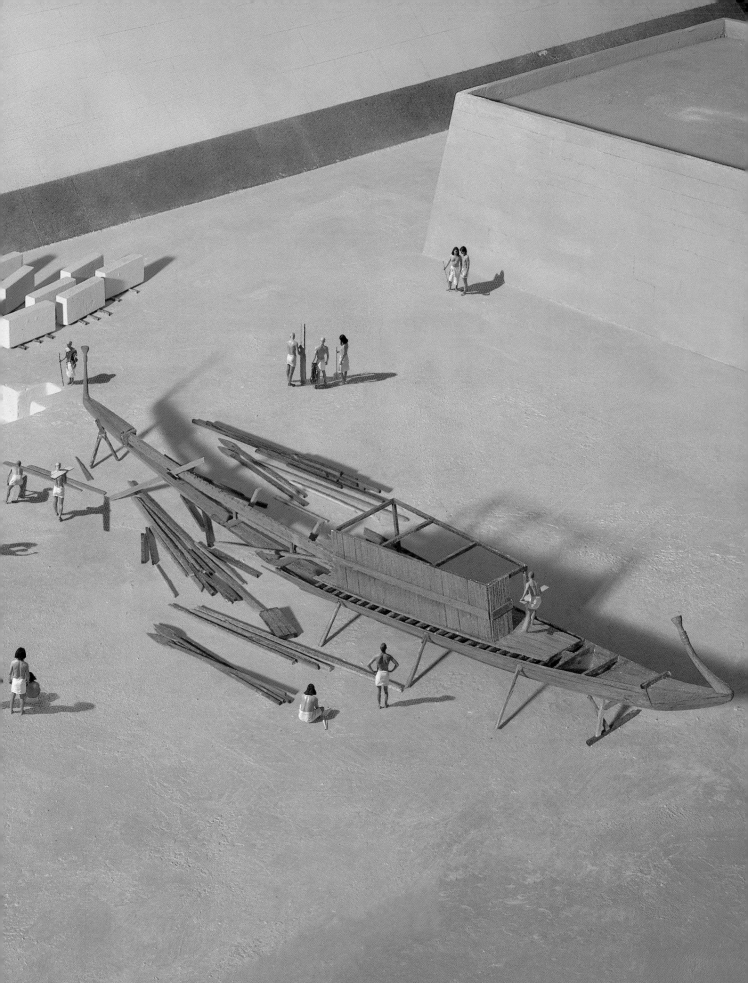

Sut Rydyn Ni'n Gwybod?

Diwedd yr hen Eifftiaid

Parhaodd gwareiddiad yr hen Aifft am ddwy fil o flynyddoedd wedi i'r Hen Deyrnas ddod i ben. Yna, yn 332 CC, cafodd yr Aifft ei gorchfygu gan y Groegwyr. Dechreuodd hen ddiwylliant ac ysgrifen yr Aifft ddiflannu'n raddol. Yn 391 OC caeodd y Rhufeiniaid y rhan fwyaf o demlau'r Aifft a chyn hir collodd pobl y gallu i ddarllen hieroglyffau yn gyfan gwbl.

Ffynonellau Iddewig, Groegaidd a Rhufeinig

Am amser hir y cwbl a wyddai pobl am yr hen Eifftiaid oedd yr hyn a ysgrifennodd yr Iddewon a'r Groegwyr amdanynt.

Mae'r hanesion Iddewig am Joseff a Moses yn cynnwys disgrifiadau o fywyd yn yr Aifft, er eu bod yn dangos rhagfarn yn erbyn yr Eifftiaid. Rydyn ni'n gwybod erbyn hyn bod gan yr Eifftiaid eu fersiynau eu hunain o'r storïau hyn.

Mae llyfrau'r Groegwyr a'r Rhufeiniaid yn cynnwys llawer o wybodaeth am yr Eifftiaid. Ysgrifennodd Manetho, Eifftiwr oedd yn byw yng nghyfnod y Rhufeiniaid, restr o 31 llinach o pharoaid ac mae'r rhestr honno'n dal i gael ei defnyddio heddiw. Aeth Herodotus ar daith i'r Aifft tua 450 CC, ond mae'n rhaid i haneswyr gofio ei fod yn disgrifio'r wlad 2,000 o flynyddoedd ar ôl oes Chephren.

Syniadau cyfeiliornus

Am flynyddoedd lawer, felly, ychydig a wyddai pobl am y pyramidiau. Credai pobl mai arsyllfeydd, neu storfeydd grawn wedi eu codi gan Joseff ar gyfer y pharo oeddynt. Tybiai rhai mai rhywbeth i'w wneud ag ymgais i fesur y ddaear oeddynt.

Hyd yn oed heddiw, mae rhai pobl yn cynnig damcaniaethau rhyfedd iawn ynglŷn â'r pyramidiau — er enghraifft, iddynt gael eu codi gan ymwelwyr o'r gofod.

Hieroglyffau ac archaeoleg

Oddi wrth yr hen Eifftiaid eu hunain, fodd bynnag — o'r hyn a ysgrifennwyd ganddynt ac o'u cofadeiladau — y daw'r wybodaeth fwyaf dibynadwy amdanynt.

Ym 1799 daeth milwr ym myddin Napoleon o hyd i Garreg Rosetta. Roedd yr un arysgrif arni mewn tair ysgrifen: Groeg, hieroglyffau, a demotig (math arall o ysgrifen Eifftaidd). Roedd yr enw Ptolmis yn digwydd amryw o weithiau yn y testun, a sylwodd ysgolheigion fod hieroglyffau ei enw yn cael eu hamgylchu bob amser â siâp hirgrwn. Ym 1822, drwy

gymharu'r llythrennau â'r rhai yn y siâp hirgrwn oedd yn amgylchu enw'r frenhines Kliopadrat (Cleopatra), llwyddodd Ffrancwr o'r enw Jean François Champollion i ddatrys ystyr yr hieroglyffau. Ef oedd y person cyntaf i'w deall ers tua 400 OC.

Sylweddolwyd yn fuan bod yr iaith Gopteg (a oedd yn dal i gael ei siarad yn rhai o fynachdai'r Aifft) yn debyg i'r iaith a siaradai'r hen Eifftiaid, 5,000 o flynyddoedd cyn hynny. Heddiw, gall haneswyr ddarllen testunau a ysgrifennwyd gan ysgrifenyddion oedd yn byw yn ystod teyrnasiad Chephren. Er enghraifft, gallant ddarllen sut y daeth un *imakhu* yn *tjaty*;

beth a ddygwyd yn ôl o Nubia (Sudan) gan bobl a aeth yno ar ymgyrch; pa feddyginiaethau y byddai meddygon yr Aifft yn eu rhoi i'w cleifion. Mae cannoedd o eiriau swyn a gafodd eu cerfio ar furiau pyramidiau yn dangos beth, ym marn yr Eifftiaid, fyddai'n digwydd i'r pharo yn y byd arall.

Yn y cyfamser, roedd archaeolegwyr wedi dechrau astudio beddrodau a themlau ac eraill o weddillion yr hen Eifftiaid. Cloddiodd un archaeolegwr enwog, W.M.F. Petrie (1853-1942), mewn dwsinau o safleoedd ymhob rhan o'r Aifft. Byddai'n gweithio yn ystod y nos gan wisgo dim ond ei ddillad isaf pinc!

Dehongliadau a chamgymeriadau

Er hynny, mae llawer o bethau nad oes neb yn eu gwybod. Er enghraifft, ni ŵyr neb ble yn yr Hen Deyrnas y byddai cyrff yn cael eu mwmeiddio, na sut yn union y câi pyramid ei godi. Mae'r darluniau yn y llyfr hwn yn dilyn damcaniaeth Americanaidd am rampiau a droai o amgylch y pyramid. Cred haneswyr eraill mai dim ond un ramp anferth yn arwain i ben y

pyramid a gâi ei ddefnyddio. Nid yw'r naill ddamcaniaeth na'r llall yn argyhoeddi'n llwyr. Byddai'r un ramp anferth dros filltir o hyd, ac yn golygu mwy o waith adeiladu na'r pyramid ei hun!

Gall cyfieithwyr ac archaeolegwyr roi'r ffeithiau i ni am yr hyn sydd wedi goroesi o'r hen fyd, ond rhaid i haneswyr ddehongli'r ffeithiau hynny er mwyn cael syniad o fywyd yn yr oes honno. Er enghraifft, byddai'n hawdd penderfynu na fyddai'r Eifftiaid yn meddwl am ddim ond marwolaeth a bod pob un ohonynt yn gweithio i'r llywodraeth, ond go brin bod hynny'n wir. Cawn yr argraff hon am mai o feddau swyddogion cyfoethog y llywodraeth y daw'r rhan fwyaf o'r wybodaeth. Rhaid i hanesydd astudio'r ffynonellau, ac yna ffurfio ei farn ei hun.

Efallai, un diwrnod, y byddwch chi'n gwneud astudiaeth arbennig o'r Aifft, ac yn datblygu eich barn bersonol chwithau.

Mynegai

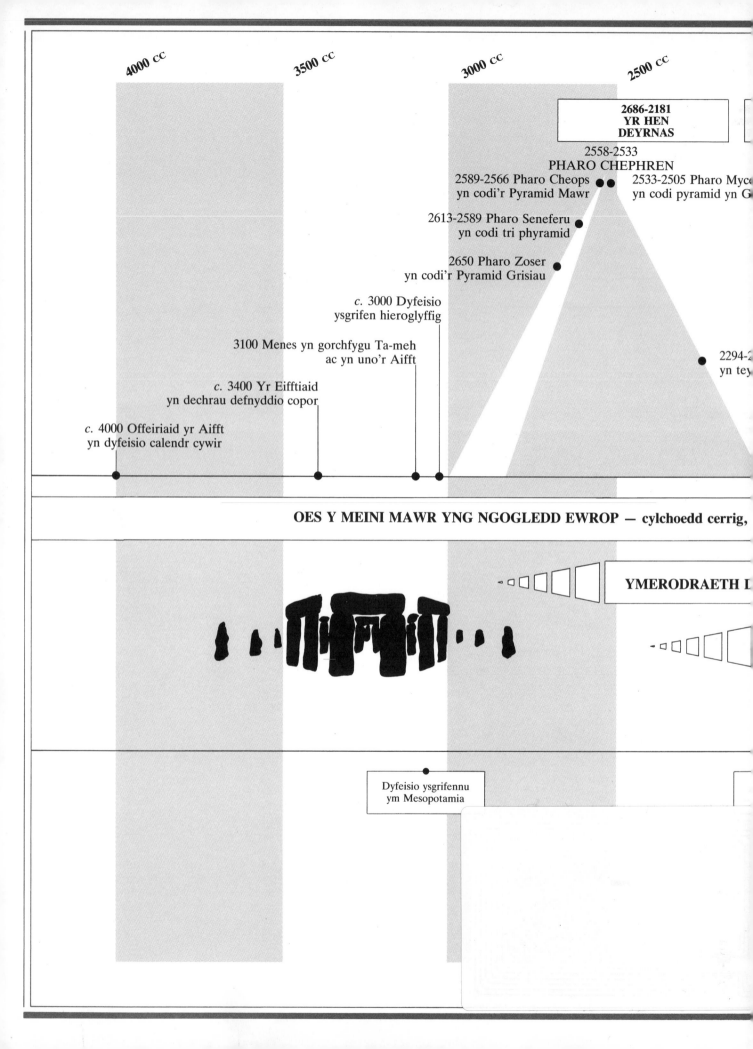

4000 cc   3500 cc   3000 cc   2500 cc

**2686-2181
YR HEN
DEYRNAS**

2558-2533
PHARO CHEPHREN

2589-2566 Pharo Cheops   2533-2505 Pharo Myc...
yn codi'r Pyramid Mawr   yn codi pyramid yn G

2613-2589 Pharo Seneferu
yn codi tri phyramid

2650 Pharo Zoser
yn codi'r Pyramid Grisiau

c. 3000 Dyfeisio
ysgrifen hieroglyffig

3100 Menes yn gorchfygu Ta-meh
ac yn uno'r Aifft

c. 3400 Yr Eifftiaid
yn dechrau defnyddio copor

2294-2
yn tey

c. 4000 Offeiriaid yr Aifft
yn dyfeisio calendr cywir

OES Y MEINI MAWR YNG NGOGLEDD EWROP — cylchoedd cerrig,

YMERODRAETH I

Dyfeisio ysgrifennu
ym Mesopotamia